S0-BYO-886

ÖSTERREICH

ÖSTERREICH

Aufnahmen Otto Ziegler
Texte Gerhard Stenzel

Stürtz Verlag Würzburg

2. Auflage 1976

Weitere Fotografen:
Joachim Kinkelin/Hans Huber:
Wien, Burgtheater
Photo-Löbl: Freistadt, Graz-Stadtplatz,
Burg Falkenstein bei Poysdorf.

Übertragung ins Englische: Frances Martin, Salzburg
Übertragung ins Französische: Gaby Hohenwart,
Salzburg

Herstellung:
Universitätsdruckerei H.Stürtz AG, Würzburg

Von der Firma Richard Bergner, Schwabach, wurden die
Bilder aus dem RIBE-Kalender freundlicherweise zur
Verfügung gestellt.

Printed in Germany – Imprimé en Allemagne

ISBN 3 8003 0088 5

Das alles ist Österreich!

Spricht heute jemand von Österreich, denkt er an Urlaub und Schifahren, nennt Wien, Tirol, Salzburg und meint im übrigen meist das „Alpenland“ mit den schönen Gegenden, wo es sich leben läßt, unter gemütlichen Leuten, in guter Luft, zu mäßigen Preisen. Will jemand Österreich näher kennen lernen, geben ihm Prospekte, Broschüren erste Auskünfte, schöne Bilder mit Launigem über Land und Leute, deren Art und Brauch. An Ort und Stelle findet der Besucher dann allerdings, so wie heute fast überall, öfter weniger Gemütlich-Launiges als Ärgerliches. Statt des angepriesenen „Echten“ einer hier noch „heilen Welt“ einiges vom üblich Schlechten für viel Geld. Doch entdeckt der interessierte Gast oft auch ein Mehr an Bemerkenswertem im Lande, Einzelheiten, verwunderliche Eigenheiten, über die ihn bis dahin weder „Führer“ noch Bücher aufklärten, etwas wie ein Österreich im Winkel, ein verstecktes Österreich. Ja, auch unerwähnte Sehenswürdigkeiten von oft europäischem Rang knapp neben oder abseits des obligaten Schaugeländes.

Um sich im Nachfolgestaat, dem einstigen Kern- und Herzland eines Klein-Europa, das Österreich einmal darstellte, zurechtzufinden – es reichte immerhin vom Bodensee bis ins Vorfeld Asiens, vom Erzgebirge bis zur Adria – sieht sich der Interessierte schließlich meist gezwungen, eine bisher versäumte Stunde Unterricht in österreichischer Geschichte nachzuholen. Schon, um von sich aus Fragen beantworten zu können, die sich ihm stellen, etwa beim Besuch der Wiener Schatzkammer, der Spanischen Hofreitschule, eines riesigen Klosters wie Melk mit Kaiserzimmern, bei Streifzügen durch das Salzkammergut oder auf Hochosterwitz. Die sich ihm auch stellen, wenn er unter den 50 Titeln, die der alte Kaiser Franz Joseph führte, solche entdeckt wie: König von Lodomerien, Illyrien, König von Jerusalem. Herr der Windischen Mark… Großwoiwod der Woiwodschaft Serbien. Was war das für ein Staat, in dem man neben deutsch und ungarisch auch tschechisch, slowakisch, kroatisch, serbisch, slowenisch, windisch sprach, polnisch und ruthenisch, bulgarisch, italienisch, ladinisch und albanisch, armenisch und jiddisch? Ist das heutige Österreich mit seiner Barock- und Biedermeiertradition, mit Operetten-, Straußwalzer- und Kaffeehauskultur nun mehr ein deutscher oder eher ein vom slawisch-magyarisch-adriatischen, polnisch-galizischen Völkerkonglomerat her bestimmter Staat? Lebten und schufen hier Haydn, Mozart, Schubert, Beethoven, Bruckner, Brahms, Liszt oder Mahler trotzdem oder gerade deswegen?

Wie es zu diesem Österreich kam? Es begann damit, daß – noch vor der Wende zum zweiten Jahrtausend – ein deutscher Kaiser vom Rhein, Otto II., einem fränkischen Adeligen aus dem Bambergischen, Luitpold, Land westlich von „Vienne“-Wien als erbliches Lehen übergab. Es war Uferland an der Donau zwischen Bechelarn und Tullina, Pöchlarn und Tulln, mit dem Tal Wahawa, der heutigen Wachau. Im Volk nannte man die kleine Markgrafschaft der „Babenberger“ bald „Ostarrîchi“. Und unter den sehr selbstbewußt auftretenden Franken entwickelte sie sich erstaunlich schnell zu einem fast unabhängigen, von Wien aus selbständig regierten Herzogtum.
Nicht nur fromme, sondern eher politische und wirtschaftliche Überlegungen bewogen das Haus Babenberg, die Brüder des heiligen Benedikt von Nursia, neben Augustiner-Chorherrn und Praemonstratensern vor allem Zisterzienser mit ausgedehnten Besitzungen und Rodungsaufträgen im ganzen Herzogtum zu bedenken. Diese geistlichen Sprengel, vom Fürsten reich dotierte „Stiftungen“, dienten dem Landesherrn als zuverlässige Stützpunkte, zeitweise sogar als Residenzen. Mittelpunkte dieser Besitzungen unter dem Krummstab waren jeweils die „Stifte“: Melk, Göttweig, Klosterneuburg, Kremsmünster, Admont u. a. m.

In ihrer Residenz Wien, Generationen hindurch Station und Sammelplatz der Kreuzfahrerheere aller Länder, sahen sich die babenbergischen Herzöge von Anbeginn in eine übernationale Mittlerrolle zwischen Ost und West gedrängt.
In aller Welt galt „Osterrich“ als Provincia orientalis. Heinrich II., Leopold VI. und Friedrich II. heirateten byzantinische Prinzessinen. Und an diesem Hof ze Vienne, zwischen Rom und Byzanz, entstand auch die neue deutsche Hochsprache der Zeit. Vom Elsässer Reinmar, der sie dichterisch gestimmt hatte, lernte sie Walther von der Vogelweide „singen und sagen“. In diesem Wien, schon früh Stadt mit Musik und Gesang, tanzte man damals nach Neidharts von Reuenthal Rhythmen auch den ersten Walzer.
Als der letzte der streitbaren Babenberger gefallen war, an der Leitha im Kampf gegen andringende Magyaren, gelang es zwei Schwaben, den Habsburgern Rudolf I. und seinem Sohn Albrecht, die begehrte Donauherrschaft um Wien dem Zugriff des böhmischen Ottokar Přzemysl zu entziehen, Österreich gegen landsmannschaftliche und kirchliche Sonderinteressen als politische Einheit zu erhalten und zu erweitern. Wien wurde nun auch bald Sitz der römisch-deutschen Kaiser, der Habsburger. Als Maximilian I. Maria Blanca von Burgund geheiratet

hatte, sein Sohn mit Johanna von Spanien, der Erbin des werdenden Weltreiches verehelicht, seine beiden Enkelkinder mit den Erben Böhmens und Ungarns versprochen waren, hatte sich das neuzeitliche Österreich begründet, die Monarchia Austriaca mit Spanisch und Französisch als Hofsprachen.

Es war jetzt das einstige Grenzland zu einer Mitte Europas geworden. Einer Mitte, der es gelang, den Kampf zwischen Orient und Okzident endgültig zugunsten eines christlichen, vornehmlich katholischen Abendlandes zu entscheiden. Vor Wien endete 1683 der Siegeszug der Söhne Allahs und dessen Propheten gegen den Westen. Mit der Befreiung Südosteuropas vom jahrhundertelangen Türkenjoch ist der Name eines französischen Edelmanns in Habsburgs Diensten verbunden, der des Prinzen Eugen von Savoyen. Nach seinen Siegen über das osmanische Weltreich umschlossen Österreichs Grenzen das heutige Belgien wie Rumänien und Schlesien, sie reichten bis nach Sizilien. Ein Reich, regiert im Namen eines christlichen Abendlandes, einer Idee, von der das Kaiserhaus das Recht ableitete, die zahlreichen Mittel- und Kleinnationen zwischen dem russischen und dem deutschen Bereich zu einer Art Großmacht, zu einem Klein-Europa zusammenzufassen.

Nach Awaren-, Hunnen- und Magyarennöten hatte sich im Laufe von fast vier Jahrhunderten das frühe romanische, gotisch-spätgotische Österreich gebildet, innerhalb von vier Jahrzehnten entfaltete sich nach den Türkenstürmen auf humanistischem Grund Barock-Österreich, Markt- und Stadtplätze, Bürgerhäuser und Vierkanthöfe, Zwiebeltürme und Basiliken, Klosterschloß und Adelspalast des Maria-Theresianischen Reiches.

Der Familientod erst der spanischen, dann der deutschen Habsburger hatte den Zerfall des unter Österreichs Führung stehenden Völkerverbandes im 18. Jahrhundert eingeleitet. Preußische, französische und englische Rivalität, der Unabhängigkeitskampf der europäischen Nationen im Namen der Nationalstaatsidee, zwangen Habsburg-Lothringen im 19. Jahrhundert die österreichischen Weltstellungen in Italien, in Deutschland und an der Donau zu räumen, die römisch-deutsche Kaiserkrone zurückzulegen. Was überblieb, die österreichisch-ungarische Monarchie, löste sich 1918 in ihre Bestandteile auf. Die Republik Österreich sieht sich fast auf das Maß des anfänglichen Herzogtums reduziert.

Wie in einer riesigen, über 84000 qkm großen Freilichtarena liegen heute inmitten der modernen Industrie-, Wohn- und Erholungslandschaften entlang der Donau und im Bereich der Ostalpen die Verwaltungs- und Repräsentationsstätten dieses alten Reiches; bewahrt der Nachfolgestaat in Burgen und Schlössern, Domen, Stiften und Klöstern die Symbole und Feldzeichen der einstigen Zentralmacht. Jedes seiner Bundesländer, Städte und Märkte repräsentiert die Monarchia Austriaca noch auf ihre Art. Am eindringlichsten wohl die Haupt-, Reichs- und Residenzstadt Wien mit Niederösterreich, dem Stammland des Weltreiches. Anschaulich noch bietet sich auch als Rest der österreichisch-ungarischen Monarchie das Burgenland, mit dem ehemaligen kaiserlichen Kammergut an der oberen Enns, ebenso Oberösterreich. Kärnten, das Sommerland von heute, erinnert an das Stammesherzogtum des römisch-deutschen Reiches, Salzburg, einst Land unter dem Krummstab, kam erst 1816 endgültig an Österreich, die seit 1363 gefürstete Grafschaft Tirol eigentlich erst 1918. Auf die habsburgischen Erb- und österreichischen Vorlande, zu denen einmal auch ein Großteil des heutigen Baden-Württemberg gehörte, verweist noch immer Vorarlberg.

Austria, past and present!

When anyone today speaks about Austria, he thinks of holidays and skiing, he mentions Vienna, Tirol, Salzburg, and means for the rest, the "Alpenland" with its beautiful landscape, where one can stay among pleasant people in good fresh air at a moderate price. If he wants to know Austria better, he gets the necessary information from prospectuses and broschures with pretty pictures and fanciful notes about the country and its people, their character and customs. On the spot, it is true, like nearly everywhere else today, he finds the reality less pleasant and more annoying than he expected. Instead of the highly praised "genuineness" to be found in an unspoilt countryside, he finds a good deal of the usual disadvantages at a high price. Nevertheless, the interested visitor discovers objects of note, details, peculiarities not mentioned in any guide-book he has as yet read, a secluded Austria, so to say, a country hidden within the one he knows. He discovers things of European interest, unmentioned in any book, near or just beside the path of the obligatory sight-seeing tours.

In order to find his way about this successor state to an empire once the core of Central Europe, to the Austria of that time, which stretched from the Lake of Constance to the frontiers of Asia, from the Erz Mountains to the Adriatic, the interested visitor will be obliged to refresh his knowledge of Austrian history. He will need to do this in order to be able to answer himself such questions as must arise when visiting for example, the Viennese Treasure Chamber – the Spanish Riding School – a huge monastery such as Melk with its imperial apartments, when touring the Salzkammergut or in Hochosterwitz, – such questions as must also arise when he discovers among the fifty titles born by the Emperor Franz Joseph, ones such as King of Lodomeria, of Illyria, of Jerusalem, Lord of the Windisch March – "Voivod of the Voivodship of Serbia". What sort of a state must it have been where besides the German and Hungarian languages, Czech, Slovak, Croat, Serbian, Slovenian, Polish, Ruthenian. Bulgarian, Italian, Rhaeto-Romanic, Albanian and Yiddish were spoken? Is the Austria of today with its Baroque and Biedermeier traditions, with its operettes, Strauss waltzes and coffee-houses more properly a German state or a conglomerate mass of Slav-Hungarian-Adriatic-Polish-Galician peoples? Did Haydn, Mozart, Schubert, Beethoven, Brahms, Liszt on Mahler live and work here because of, or in spite of, all this?

How did the Austria we know evolve? What are the origins of the Austria of today? To begin with, just before 1000 A.D., a German Emperor Otto II gave a Frankish nobleman of the Bamberg family, Luitpold, land west of Vienna as a fief. It lay on the banks of the Danube between Pöchlarn and Tulln together with a part which is now know as the Wachau. The people called this march county of the Bambergs, "Ostarrîchi", and under the extremely self-confident Franks, it developed astonishingly quickly into an almost independent duchy ruled from Vienna.

Not only pious but rather political and economic reasons caused the Babenbergers to donate property and agriculturally exploitable land to Benedictine monks, Augustine canons, Premonstratensian and above all, Cistercian monks. These parishes richly endowed by the aristocracy served the rulers as reliable bases, sometimes as residences. The most important of these properties were the monasteries – Melk, Klosterneuburg, Kremsmünster, Admont and others. At their residence in Vienna known throughout generations as a meeting place for crusaders of all nationalities, the Dukes of Babenberg saw themselves obliged to play the part of an international intermediary between East and West. Austria was everywhere known as Provincia orientalis. Henry II, Leopold VI and Frederick II married Byzantine princesses, and at this court in Vienna between Rome and Byzantium, the new High German language of the time developed. The Alsatian Reinmar, who had written poems in this language, taught Walther von der Vogelweide "to sing and speak". In the Vienna of that time, always a town of music and song, the first waltzes were danced to the musical rhythms of Neidhart von Reuenthal.

When the last of the warring Babenbergers had fallen in battle on the Leitha, two Suabians, the Habsburgs, Rudolph I and his son, Albrecht, succeeded in warding off the Bohemian Ottokar Przemysl, who was trying to seize the lands around Vienna and with them the highly prized mastery of the Danube. They managed to maintain Austria in the face of the personal aspirations of their countrymen and of ecclesiastical interests, and to enlarge it. Vienna soon became the seat of a Holy Roman Emperor, a Habsburg. When Maximilian I married Marie Blanca of Burgundy and had arranged the marriage of his son to Johanna of Spain, heiress to a future empire, and of his grandchildren to the heirs of Bohemia and Hungary, the

Austria of modern times was founded, the Monarchia Austriaca, where Spanish and French were spoken at court.
The former frontier country had become the heart of Europe, where the struggle between East and West was to be finally decided in favour of the Christian, mostly Catholic West. The triumphal campaign of Allah's sons and prophets against the West ended in 1683 before the gates of Vienna.
The name of a French nobleman, Prince Eugene of Savoy is connected with the freeing of south-eastern Europe from the hundred-year old yoke of the Turk. After his victories over the Ottoman Empire, the frontiers of Austria embraced modern Belgium, Roumania and Silesia, and reached as far as Sicily, an empire, ruled in the name of the Christian West under whose aegis the imperial house derived its right to consolidate the numerous small nations between the Russian and the German spheres of influence, into a sort of European Great Power.
Following the misfortunes caused by Avars, Huns and Hungarians, during the course of nearly four centuries, the Austria of the early Romanesque, Gothic and late Gothic architecture took form, whereas the four decades following the Turkish attacks were long enough to see the development of the markets and town squares, burgher houses, square court-yarded farmhouses, onion towers, basilicas, monasteries and princely palaces of Maria Theresia's Baroque kingdom.
Deaths occurring first in the families of the Spanish Habsburg and then in the German Habsburg lines were a prelude to the collapse of the confederation of nations united under Austrian rule in the 18th century. The rivalries of Prussia, France and England and the struggle for independence of the European nations in the name of nationalism, forced the Habsburgs in the 19th century to surrender their territories in Italy and Germany and on the Danube, and to give up the crown of the Holy Roman Empire. What remained – the Austrian-Hungarian Monarchy, disintegrated in 1918. The Republic of Austria is today almost reduced to the size of the original duchy.
Lying scattered among modern industrial and residential districts and in health resorts along the Danube and the region of the East Alps, as in a huge open-air arena of over 50,000 square miles, are the administrative and representational buildings of the old empire. Its successor state preserves the symbols and emblems of the former central power in the castles and fortresses, cathedrals, monasteries

and convents of former times. Each of its provinces, cities and market-towns evokes the memory of the monarchy in its own way. Probably the imperial capital of Vienna together with Lower Austria, the original province of the Empire, does so most strikingly, but also the province of Burgenland testifies to the remains of the Austro-Hungarian Monarchy as do the crown lands on the Upper Enns as well as Upper Austria. Carinthia, the land of modern summer holidays, calls to mind the original duchy of the Holy Roman Empire. Salzburg, once ruled by a Prince Archbishop, did not come under Austrian rule till 1816, and the redoubtable province of Tirol, ruled by its counts since 1363, only became Austrian after 1918. Vorarlberg is a witness to the former hereditary Habsburg and Austrian frontier provinces to which a large part of the present Baden-Württemberg once belonged.

Voilà l'Autriche!

Lorsque quelqu'un parle de l'Autriche, il songe surtout au vacances, au ski, il nomme Vienne, le Tyrol, Salzbourg.
En fait, c'est avant tout au « Pays des Alpes » avec ses beaux paysages qu'il pense, où « il fait bon vivre » parmi des gens agréables, où l'air est bon et les prix modérés. Des prospectus donnent les premiers renseignements à ceux qui veulent en savoir un peu plus long sur l'Autriche, prospectus multicolores, qui racontent des histoires amusantes sur le pays et ses habitants, leur nature et leurs coutumes.
Sur place, le visiteur découvre pourtant des aspects moins agréables: Au lieu d'un monde encore intact et authentique des banalités coûteuses. Pourtant, le touriste intéressé peut avoir la chance de connaître des choses remarquables et singulières, ignorées par guides et livres: une Autriche cachée derrière les images bien connues. Parfois, ce sont même des curiosités de rang européen, non mentionnées, éloignées ou près de la route touristique obligatoire.
Pour mieux s'orienter dans cette Autriche d'aujourd'hui, état successeur et coeur de cette « Europe en miniature », qui s'étendait du Lac de Constance jusqu'au bord de l'Asie, des Montagnes métallifères à la mer Adriatique... combien de fois se voit-on forcé de prendre une leçon de rattrapage en histoire autrichienne. Ne serait-ce que pour pouvoir répondre à des questions qui se posent au curieux, en visitant la Trésorerie de Vienne, l'Ecole d'Equitation espagnole, une grande abbaye comme Melk avec ses salles du couloir impérial, pendant des randonnées à travers le « Salzkammergut » (région des lacs), à l'occasion de l'excursion à la forteresse de Hochosterwitz. Questions qui se posent à lui, lorsque parmi les 50 titres de François Joseph il en découvre comme: Roi de la Lodomérie, de l'Illyrie, Roi de Jérusalem, Seigneur de la marche slovène....
Quel état, dans lequel on parla outre l'allemand et le hongrois aussi le tchèque, le slovaque, le croate, le serbe, le slovène, le polonais, le ruthène, le bulgare, l'italien, le ladin, l'albanais, l'arménien et le yiddish! L'Autriche d'aujourd'hui avec le Baroque et le « Biedermeier », avec ses opérettes, ses valses de Strauß et ses cafés, est-elle déterminée davantage par ses éléments allemands ou slaves ou hongrois ou polonais? Haydn, Mozart, Schubert, Beethoven, Bruckner, Brahms, Liszt ou Mahler étaient-ils donc inspirés malgré ou à cause de toutes ces influences?
Et comment donc cette Autriche se forma-t-elle? Ce fut – déjà avant le deuxième millénaire – grâce à la donation

en fief héréditaire des terres à l'ouest de Vienne à un noble franc, Luitpold de Bamberg, par l'Empereur allemand Otto II. C'étaient donc des terres situées au bord du Danube, entre Bechelarn et Tullina, comprenant la vallée de Wahawa, la Wachau de nos jours. Bientôt ce petit margraviat des Babenberger fut appelé communément «Osterrîchi». Et sous le règne des Francs il devint très vite un duché presque indépendant, gouverné à partir de Vienne.
Non seulement leur piété, mais surtout des raisons politiques et économiques amenèrent la maison des Babenberg à donner de vastes possessions, des «Stiftungen» (fondations) aux Bénédictins, aux Augustins et aux Cisterciens, qui défrichèrent par la suite les terres. Ces riches paroisses servaient de point d'appui aux souverains, temporairement même comme résidences. Les centres de ces possessions religieuses étaient respectivement les «Stifte» (abbayes): Melk, Göttweig, Klosterneuburg, Kremsmünster, Admont, etc.
A Vienne, résidence pendant des générations, lieu de rassemblement de croisés venant de tous les pays, les ducs de Babenberg devaient jouer le rôle de médiateur entre l'est et l'ouest. Pourtant, «Osterrich» était considérée comme une «provincia orientalis». Henri II, Léopold VI et Frédéric II épousèrent des princesses byzantines. Et c'est à cette cour de Vienne que se forma également la langue académique allemande de ce temps. Walther von der Vogelweide apprit à s'en servir grâce au poète alsacien Reinmar. Dans cette Vienne devenue très tôt la ville de la musique et du chant, on dansa la première valse d'après les rythmes de Reuenthal.
Le dernier des Babenberger étant tombé dans une bataille contre les Magyars, deux Souabes, les Habsbourg Rodolphe Ier et son fils Albrecht, réussirent à maintenir et à élargir l'unité de l'Autriche contre les interventions du Bohémien Ottokar Přzemysl et contre ses intérêts particuliers. Vienne devint la résidence des empereurs romano-germaniques, issus de la famille des Habsbourg. Après le mariage de Maximilien Ier avec Maria Blanca de Bourgogne, celle de son fils avec Jeanne, héritière de l'Espagne, et des contracts de mariage de ses petits-enfants avec les héritiers de la Bohème et de la Hongrie, la monarchie autrichienne était fondée, l'espagnol et le français étant les langues de la cour.
C'est à Vienne que se termina la lutte entre l'Orient et l'Occident, que la marche triomphale des Musulmans vers l'ouest fut arrêtée en 1683. La libération de

l'Europe du sud-est est étroitement liée au nom du prince Eugène de Savoie, noble français au service des Habsbourg.
Après ses conquêtes, l'Autriche comprenait la Belgique aussi bien que la Roumanie, la Silésie et la Sicilie. Cet empire était gouverné au nom d'un Occident chrétien, idée de laquelle la maison impériale tirait le droit de réunir les nombreuses nations de taille moyenne et les minorités culturelles entre les domaines russe et allemand.
Après avoir subi le danger des Avares, des Huns et des Magyars, une Autriche préromane, romane, gothique et gothique flamboyante s'était formée au cours de presque quatre siècles, et après les assauts des Turcs, se déploya sur les bases de l'humanisme le Baroque avec ses places de ville et de marché, ses maisons de la haute bourgeoisie et ses fermes quadrangulaires, ses tours en forme de bulbes, ses basiliques, ses cloîtres et ses palais de l'empire de Marie-Thérèse, seulement en l'espace de quatre dizaines d'années.
Au 18e siècle, l'extinction des lignes espagnole et allemande de la famille des Habsbourg amena l'écroulement de la fédération des peuples sous l'égide de l'Autriche. Des rivalités avec la Prusse et entre la France et l'Angleterre, la lutte pour l'indépendance nationale et l'idée d'états nationaux obligeaient l'Autriche à rendre la couronne du Saint-Empire et à céder ses positions en Italie, en Allemagne et sur le Danube au cours du 19e siècle. En 1918, la monarchie austro-hongroise se décomposa; la république autrichienne est alors plus ou moins réduite à la superficie du duché originel.
Chaque «Bundesland» (province), chaque ville et chaque bourg représente encore la monarchie autrichienne à sa manière. Surtout la capitale et résidence Vienne, et la Basse-Autriche, le premier pays de cet empire puissant. Le Burgenland, pays pittoresque, rappelle la monarchie austro-hongroise ainsi que la Haute Autriche et aussi la Carinthie, le pays de l'été à l'heure actuelle. Salzbourg, vieille terre épiscopale, ne fut rattachée définitivement à l'Autriche qu'en 1816; le Tyrol, en fait, seulement en 1918. Le Vorarlberg rappelle les anciennes terres héréditaires des Habsbourg, dont la majeure partie de l'actuel Bade-Wurtemberg faisait autrefois partie.

Wien Niederösterreich
Burgenland Oberösterreich
Steiermark Salzburg
Kärnten Tirol Vorarlberg

Wien
Stadt der vielen Gesichter

Vom Backhendl-, Heurigen-, Walzer-, Fiaker- und Kaffeehaus-Wien weiß fast jedermann etwas. Das Wien mit den vielen anderen Gesichtern kennen nur wenige.

Paris, das ist Frankreich, London heißt England, Berlin, das war Preußen, Wien aber war von Anbeginn europäisch, die einzige wirkliche europäische Stadt in Europa: als Sitz der römisch-deutschen Kaiser, die kaum noch solche waren, als Residenz eines Vielvölkerreiches und österreichischen Kaisertums, für das sich gar keine staatsrechtlich verbindliche Form fand, als Heimat des Wieners, der, von seiner Verwandtschaft her besehen, vielfach gar keiner ist. Eines Wieners, bekannt als gemütlicher aber auch rabiater Raunzer, der außer Musik, einem guten „Papperl" und seinem Wein kaum etwas zu genießen versteht; beschrieben als größter Feind seiner selbst, der ohne sein Wien und die Wiener jedoch nicht leben mag; verschrieen neuerdings als „Herr Karl", eine Type, die er nicht leiden kann, es jedoch jedem übelnimmt, der ihn als „Herr Karl" nicht verstehen will. Dieser Wiener, meist mit zumindest einem Elternteil aus einem der ehemaligen Kronländer stammend, durch Jahrhunderte gezwungen, in mehreren Traditionen gleichzeitig zu leben, ist meist der Diener zumindest „zweier Herrn", redlich bemüht, die unterschiedlichen Standpunkte seiner Existenz „rein menschlich" zu verbinden, dabei immer „ein bisserl" skeptisch, nie jedoch für etwas verantwortlich: „Es zahlt si' net aus! Wie komm' denn i' dazu!" heißen Lieblingssprüche dieses einzigen „typischen" Österreichers in Österreich.

Im vielgesichtigen Wien findet sich ein Besucher am besten zurecht, wenn er sich zuerst die Stadt rund um den „Steffl", um die St. Stephanskirche, als die im 13. und 14. Jahrhundert östlichste Großstadt der westlichen Welt vergegenwärtigt; wenn sich der Besucher hierauf in dieser „Inneren Stadt" und jenseits des Vorfeldes der inzwischen längst verschwundenen Basteien die Barockstadt entdeckt, die Paläste des Fischer von Erlach und Lukas von Hildebrandt, gipfelnd in einem Gesamtkunstwerk wie dem Sommerschloß des Prinzen Eugen, dem „Belvedere", nächst der Karlskirche; wenn er schließlich in das Ringstraßen-Wien spaziert und die vier Kilometer lange Prachtstraße als Ausdruck einer noch reichsbewußten konstitutionellen Monarchie des 19. Jahrhunderts versteht.

Vienna
A city of great variety

The Vienna of the "Heurigen", of the waltzes and coffee-houses is well enough known, its many other sides less so. From the first, Vienna has been the one and only truly European city. It was the seat of the Holy Roman Emperors, the residence of the Habsburgs and is the home of the Viennese who are often not really Viennese at all. They are known as an easy-going people, at times violently critical, appreciating little apart from music, wine and good food. They are their own worst enemies but coming as they often do from outside, they try to make the best of things, always a little sceptical and loth to accept responsability. To find one's way around this multifarious city, it is best to visit first the old centre of the 13th and 14th centuries near St. Stephen's Cathedral. One can then pass on to the Vienna of the Baroque period, typified by the Belvedere Palace and the "Karlskirche" and lastly to the splendid Ring Strasse over two miles long, a witness to the constitutional monarchy of the 19th century.

Vienne
Ville aux visages multiples

Paris, c'est la France, Londres, c'est l'Angleterre, Berlin, naguère la Prusse, mais Vienne a toujours été une ville européenne, la seule capitale européenne de l'Europe. Siège des empereurs romano-germaniques, résidence de l'empire autrichien, et patrie des Viennois. Connu comme rouspéteur cordial, le Viennois a la réputation de n'aimer que la musique, le manger et le boire; il est le plus grand ennemi de lui-même, et ne peut pas vivre sans Vienne et les Viennois, comme le décrit la figure caricaturale de «Herr Karl». L'origine de ses parents, venus des différents pays de la monarchie, l'a obligé pendant des siècles à vivre plusieurs traditions simultanément – serviteur de deux maîtres au moins qui s'efforce de joindre les différents côtés de son existence d'une manière purement humaine, toujours un peu sceptique, mais sans engager sa responsabilité. La ville autour du «Steffl» (cathédrale St. Etienne) fut aux 13e et 14e siècles la ville la plus orientale de l'Occident; dans la «Innere Stadt» (cité) on découvre ses monuments baroques et ses parcs; et lorsque l'on se promène le long de la «Ringstraße», boulevard de parade et expression de la mentalité de la monarchie constitutionnelle du 19e siècle, on commence à comprendre Vienne.

Wien, Burgtheater

Vienna, Burgtheater · Vienne, le Burgtheater

Wien, Schloß Belvedere

Vienna, Belvedere Palace · Vienne – Palais du Belvedere

Niederösterreich
Urzelle und Stammland

Es sind die „Niederen Lande" Österreichs, mit viel Ebene im Norden und Osten, mit einer „Buckligen Welt" im südlichen, einem „Wald-" und einem „Weinviertel" im nördlichen Teil. In dieses Bauernland unter der Enns strömten über Thaya, March und Leitha hinweg Jahrhunderte hindurch Awaren, Hunnen, Magyaren, Hussiten, Kuruzzen und Türken. Mit Wien an der Donau als etwas exzentrisch gelagerter Herrschaftsmitte wuchs von diesem Land an der alten Bernsteinstraße her Österreich allmählich in die Nachbarräume; im Zeichen von Burgen und Klosterburgen auf den Höhen, von Siedlung, Markt und Städtchen in den Talungen.
Urzelle im Stammland Österreichs war Melk an der Donau, am Eingang zur Wachau. Als Residenz und Begräbnisstätte der ersten Babenberger, die Wiege des späteren Reiches. Seit 1089 Benediktinerstift, seit dem 18. Jahrhundert durch Prandtauer und Mungenast zu einer der großartigsten barocken Klosterbauten mit Kaiserherberge erweitert. Hier in Melk begann das Herz des jungen Österreich zu schlagen, hier begegnen wir zum erstenmal auch dem geistigen Österreich. Als grimmiger Räsoneur und phantastischer Realist beschwört Heinrich von Melk um 1150 in seinen Gedichten „Erinnerung an den Tod" und „Priesterleben" so drastisch wie zynisch den häßlichen Menschen in einer häßlichen Welt.
Dem geistlichen Stift benachbart in diesem Land war meist die landesherrliche Burg. Unweit von Melk im Tale Wachau liegt Aggstein, Sitz einst der mächtigen Kuenringer. Zweimal erhoben sie sich, gegen Babenberg und gegen Habsburg, zweimal verloren sie Besitz und Stellung bei Hofe. Weit im Osten des niederen Landes ragen über das leicht gewellte Hügelland im Flußdreieck von Thaya und March, am alten Wege in die mährische Senke die Ruinen von Falkenstein. Im Vorfeld des werdenden Österreich hier schon um 1050 eine Feste des Reiches gegen den Osten.
Umgeben ist Falkenstein im Weinviertel von Rieden der „Brünnerstraßler", bei Einheimischen und auch bei Wienern geschätzte „resche" Landweine ohne viel Blume und Feuer. Des Landes große Weine gedeihen südlich Wien, um Gumpoldskirchen und Vöslau, um Dürnstein und Krems in der Wachau.

Lower Austria
Home of the Empire

These are the "Netherlands" of Austria, wide plains to the north and east and rolling hills to the south. For centuries this peasant land saw the passing of tribes of Avars, Huns and other barbarians on their way through Europe. From Vienna, its centre on the Amber Road, Austria gradually spread out into the neighbouring countries.
Melk on the Danube, where the first Babenbergers lived and were buried, is the cradle of the later empire. Founded as a Benedictine monastery in 1089 and later enlarged into one of the most splendid of Baroque buildings, with apartments for the emperor, Melk saw the beginning of cultural life in Austria.
Generally in this province, castles are found in the vicinity of the monasteries and near Melk lies Aggstein where the once powerful Kuenringer family lived.
Further away are the ruins of Falkenstein, already in 1050 an imperial fortress against the East.
The province is well known for the wines of which the most famous are those of Gumpoldskirchen and Vöslau south of Vienna and of Dürnstein and Krems in the Wachau.

La Basse-Autriche
Noyau de l'Autriche

Voilà les « pays bas » de l'Autriche, avec ses plaines au nord et à l'est, la « Bucklige Welt » (région des collines) au sud, le plateau alpin (« Alpenvorland ») à l'ouest. Le premier centre de cette région fut Melk sur le Danube. Résidence et lieu de sépulture des premiers Babenberg, depuis 1089 abbaye des Bénédictins, depuis le 18e siècle élargi par Prandtauer et Mungenast, c'est un des plus beaux monuments baroques.
Près des couvents se dressèrent les châteaux forts des souverains, comme par exemple la ruine de Aggstein, naguère résidence des Kuenringer. Ils se révoltérent contre les Babenberg et les Habsbourg et perdirent par la suite et leurs propriétés et leur position à la cour.
Plus loin à l'est, au confluent de la Thaya et de la March, les ruines du château fort de Falkenstein dominent la route vers la Moravie. Situés dans le « Weinviertel » (pays du vin), les vignobles de Falkenstein donnent un petit vin blanc sec; les vins de qualité proviennent de la Wachau, de Gumpoldskirchen et de Bad Vöslau.

Stift Melk

Monastery of Melk · L'abbaye de Melk

Ruine Aggstein

Ruins of Aggstein Castle · Les ruines d'Aggstein

Burg Falkenstein bei Poysdorf

Falkenstein Castle near Poysdorf · Château fort de Falkenstein près de Poysdorf

Burgenland
Ein Rest von Österreich-Ungarn

Ein Land mit Burgen? Sicherlich, die gibt es im Burgenland auch, sehr große sogar, wie Forchtenstein, Schlaining, Bernstein. Doch waren nicht sie namengebend für das Land, sondern vier Gespannschaften des ehemaligen Königreichs Ungarn.
Mit vier Fünftel des deutschsprachigen Westungarn wurden sie 1919 Österreich abgesprochen: Preßburg, Eisenburg, Wieselburg und die schon um 800 n. Chr. als Ödenburg genannte natürliche Hauptstadt des Landstrichs mit ihrer rein deutschen Umgebung.
Nicht nur der Name, auch Land und Leute im östlichsten Neu-Österreich erinnern in vielem noch an Alt-Österreich. Noch ragen in der Pußtalandschaft des Seewinkels hie und da die knöchernen Arme von Ziehbrunnen gegen die Weite des Horizonts; noch brüten in der Schilfwildnis des Neusiedler Sees, ein Steppensee wie ihn nur Innerasien kennt, hunderte in Mitteleuropa sonst unbekannter Vogelarten, und an den warmen Salzlacken stelzen Störche, Silberreiher, Säbelschnäbler und Regenpfeifer. Außerhalb des großen Naturparks allerdings sind sie meist schon verjagt von den „Blechschlangen", die sich sommerüber auf neutrassierten Asphaltbändern diesem Meer der Wiener entlangschlängeln.
Hierher, in die Einbruchspforte der Türkenheere nach Westen, riefen einst ungarische Magnaten deutsche Siedler. So kommt es, daß in diesem Land neben Stockungarischem und Kroatischem auch schwäbisch zu hören ist und ein Altbayerisch, wie es der Nibelungendichter etwa gesprochen haben könnte. Eisenstadt, Österreichs jüngste Landeshauptstadt, birgt das Grabmal Joseph Haydns, Schöpfer der deutschen Symphonie und der Melodie des Deutschlandliedes.
Hinter den barock geschwungenen Giebelfronten der Dörfer findet sich, da und dort noch unverändert, das alte burgenländische Haus, ebenerdig unter dem Schilfdach, an den blitzblank gekalkten Wänden die knallgelben Maiskolbenbündel. Kann sein, daß einem Brautpaar oder Gästen zuliebe unter einer der Hauseinfahrten gerade eine Tamburizzakapelle aufspielt, mit Baßgeige, Mandoline und Ziehharmonika. Gerne auch sitzt man in den Höfchen beim Welschriesling oder Muskat-Ottonell, Traminer oder Furmint, Weine aus Rieden um Rust, Oggau, Jois, St. Margarethen oder Oslip.

Burgenland
A relic of the Austro-Hungarian Monarchy

A land of castles? Certainly there are many here, but most of them are no longer in Austria as in 1919 four fifths of this German-speaking district was ceded to Hungary.
Much of this country and its people recalls the old Monarchy. The silhouette of the wells still stand out on the wide horizon – hundreds of birds otherwise unknown in Europe, still breed in the reeds round the Neusiedler Lake and storks, silver herons, golden plovers can be seen in the water.
Here where the Turks broke through into the West, Hungarian noblemen called in German settlers, so that besides Hungarian and Croat, old German dialects are still spoken. Joseph Haydn was born in the capital, Eisenstadt.
Unchanged in the villages, the old Burgenland houses can still be seen, with their thatched roofs and yellow bundles of maize hanging on the walls. Sometimes a typical "Tamburriza" band can be heard playing, while in the courtyards the people sit drinking the wine of the country – Traminer or Welschriesling, Muskat-Ottonell and Furmint.

Le Burgenland
Un reste de l'Autriche-Hongrie

Le pays des châteaux forts? Certes, il y en a aussi au Burgenland, d'importants mêmes, comme Forchtenstein, Schlaining, Bernstein. Mais ce sont les quatre comtés Preßburg, Eisenburg, Wieselburg et Ödenburg, capitale naturelle de cette région, qui ont donné ce nom au pays.
Non seulement le nom, de même le paysage et les gens rappellent encore l'Autriche d'autrefois. On trouve encore les puits traditionnels des bergers sur cette steppe parsemée de petits lacs, appelée «Seewinkel», située derrière le lac de Neusiedl où vivent encore des centaines d'espèces d'oiseaux inconnues dans le reste de l'Europe centrale.
Parfois on découvre encore des maisons traditionnelles aux pignons baroques abritées par des toits de roseaux, aux murs blanchis à la chaux, décorés par des bottes d'épis de maïs d'un jaune intense.
C'est à Eisenstadt, la plus jeune capitale régionale d'Autriche, que se trouve le tombeau de Joseph Haydn, créateur de la symphonie allemande et compositeur de l'air de l'ancien hymne national.

Alter Ziehbrunnen im Seewinkel

Old well in Burgenland · Vieux puits à chaîne dans le Seewinkel

Pußtahaus in Illmitz

Burgenlander house in Illmitz · Maison traditionnelle de la Puszta à Illmitz

Oberösterreich
Zwischen Dachstein und Böhmerwald

Es sind Gegenden, die schon vor der Zeitrechnung Weltbedeutung besaßen, als man auf frühesten Handelsstraßen aus einem Bergwerk am Fuße des Dachsteins Salz bis ans Nordmeer, nach Ägypten und Afrika lieferte. Nach Hallstatt, dem Fundort des Weißen Goldes früherer Zeiten, nennt die Wissenschaft heute jene Kultur, die, nach hier entdeckten Gräberfeldern zu schließen, zwischen dem 9. und 5. vorchristlichen Jahrhundert Völkerschaften zwischen dem Wienerwald und der Rhône, dem Main und Mittelitalien beeinflußte.
Das bis zu Beginn des vorigen Jahrhunderts nur vom Wasser her erreichbare, für die Öffentlichkeit unzugängliche kaiserliche Kammergut an der oberen Traun entdeckten Maler, Dichter, Komponisten, Stifter, Grillparzer, Waldmüller, Schubert und andere. Sie priesen, malten und besangen die Landschaft als eine der schönsten der Welt. Seither ist das oberösterreichische Salzkammergut mit seinen vierzig Seen – man zählt es oft fälschlich zum Land Salzburg – ein meistbesuchtes Sommer- und auch Winterland. Vielbestaunt in ihm die Eisriesenwelt des Dachsteinmassivs. „Gralsburg“, „Parzival“-, „Artus“-, „Tristandom“, „Amfortashalle“ und „Montsalvatschgletscher“ sind Namen der Stein- und Eisgebilde im größten Höhlensystem der Ostalpen. Seit je bewundert auch wird das romantische Hallstatt, auf engstem Raum zwischen Fels und Wasser erbaut. Wie auf dem Traunsee bei Traunkirchen, unweit von Gmunden, rudert auch hier Jahr für Jahr am Fronleichnamsfest eine Flotille festlich geschmückter Andachtsboote auf den Hallstätter See hinaus, den Herrn und die Wiederkunft der Sommersonne in diesem durch Monate sonnenlosen Gebirgsgrund zu feiern.
Eine der Stationen an den frühen Straßen vom Salzkammergut nordwärts, über die Landeshauptstadt Linz an der Donau dem Böhmerwald zu, war Freistadt an der böhmischen Grenze. Mit seiner alten Burg, den gotisch-barocken Gassen, dem riesigen Hauptplatz, auf dem einst mit Salz, Gewürzen, Eisen und „Venediger War'“ gehandelt wurde, ist sie noch heute eine der schönsten von Österreichs alten Städten.

Upper Austria Between the Dachstein and the Bohemian Forest

From the mines in Hallstatt at the foot of the Dachstein, salt was exported in prehistoric times as far away as Africa. The town itself gave its name to a culture, following excavations made there, which flourished in Central Europe between the 9th and 5th centuries B.C.
The landscape of the Salzkammergut, crowns lands of the Emperor, was described by musicians and writers of the 19th century as being one of the most beautiful on earth, and it has remained a most popular holiday resort. The ice caves of the Dachstein with their great vault-like roofs are the wonder of tourists – and the romantic town of Hallstatt confined between the lake and the mountain-side is much admired. Here and also on the Lake of Traun near Traunkirchen, a procession of decorated boats rows out yearly onto the lake to celebrate the feast of Corpus Christi.
Freistadt, on the frontier of Czecho-Slovakia, one of the stations of the old Salt Road northwards, is a beautiful old town, with its castle and great square where long ago salt, spices, iron and goods from Venice were traded.

La Haute-Autriche Entre le Dachstein et la Forêt de Bohême

Déjà à l'époque où le commerce du sel se fit à partir des salines au pied du Dachstein jusqu'à la Mer du Nord, l'Egypte et l'Afrique, ces contrées étaient d'une importance mondiale. D'après le lieu de la culture de l'or blanc, on la nomma «Hallstatt-Kultur». Aujourd'hui c'est une petite ville pittoresque entre la montagne et le lac.
Une autre petite ville où subsistent encore des coutumes traditionnelles – la procession sur le lac à l'occasion de la Fête-Dieu – est Traunkirchen sur le Traunsee près de Gmunden.
Admiré par de nombreux visiteurs en été aussi bien qu'en hiver, le «Salzkammergut» (région montagneuse avec 40 lacs) offre outre cette harmonie de lacs et de montagnes le système de cavernes le plus étendu des Alpes orientales, la «Eisriesenwelt» dans le massif du Dachstein, avec ses stalagmites et stalactites calcaires ou en glace.
Plus au nord, près de la Forêt de Bohême, se trouve Freistadt avec sa forteresse, ses ruelles gothiques et baroques et sa grande place du marché où on vendait autrefois du sel, des épices, du fer et des «marchandises vénétiennes».

Hallstatt mit Hallstätter See

Hallstatt with Lake Hallstatt · Hallstatt avec le lac de Hallstatt

Rieseneishöhlen im Dachstein

Ice caves in the Dachstein Mountain · Système de cavernes dans le massif du Dachstein

Felsenhalbinsel Traunkirchen im Traunsee

Traunkirchen on Lake Traun · Presqu'île rocheuse de Traunkirchen sur le Traunsee

Freistadt

Freistadt · Freistadt

Steiermark
Grünes Herz und Eiserne Mark

„Waldheimat" nannte Peter Rosegger, Steiermarks berühmter Dichter, sein Geburtsland, „Das grüne Herz Österreichs" heißt es in den Werbe-Prospekten. Laub- und Nadelwälder stehen in diesem waldreichsten Land Mitteleuropas an Enns, Mürz und Mur, um Bad Aussee und Mariazell, dem österreichischen Nationalheiligtum. Grüngewellt breiten sich die Hügel östlich der Landeshauptstadt wie die Weinberge im Sausal mit ihren schnarrenden Windrädern, den „Klapotetzen". Grün auch trägt mit Vorliebe der Steirer. Kein Geringerer als Kaiser Franz Joseph hat das „Steirergwand" hof- und gesellschaftsfähig gemacht.

Nach dem Erzberg bei Leoben, zuzeiten Europas größter Erzlieferant, hieß das Land auch „Eiserne Mark". Mit Ernst „dem Eisernen" stellte die steirische Linie der Habsburger den Stammvater jener beiden römisch-deutschen Kaiser, die Österreichs Weltmachtstellung begründeten, Friedrich III. und sein Sohn Maximilian I.

Nicht zu allen Zeiten schlug dieses grüne Herz für Österreich. Des öfteren mußte es mit eiserner Gewalt an seine Schuldigkeit als des Reiches und der Monarchie Erzland erinnert werden. Schon im 13. Jahrhundert, als sich die Steirer mit halb Europa gegen den Sohn des ersten Habsburgerkaisers, gegen den kriegerischen Albrecht verschworen hatten.

In Graz, der Hauptstadt Innerösterreichs, erließ 300 Jahre später Ferdinand, als Kaiser dann der zweite seines Namens, jenes berüchtigte Dekret, das den lutherisch gewordenen steirischen Adel zur Auswanderung zwang und auch über das Schicksal der Reformation in Deutschland entschied. Als eine Art Nationalheiligen verehren die Steirer noch heute ihren Erzherzog Johann, der, in Frontstellung zu seinem kaiserlichen Bruder in Wien, eine Ausseer Postmeisterstochter heiratete, sie zur Gräfin von Meran erhob und als Reichsverweser nach 1848 auch zur ersten Frau Deutschlands machte.

Mitten im „grünen Herzen" liegt das Benediktinerstift Admont mit einer der größten, prunkvollsten Klosterbibliotheken der Welt, einem „achten Weltwunder". In Graz, der Landeshauptstadt, erinnert noch viel an jenes Österreich, zu dem auch die heute jugoslawischen Städte Marburg, Laibach und Agram gehörten.

Styria
A land of forests and iron ore

In the guide books Styria is called the "green heart" of Austria and as the most densely wooded region of Central Europe, the name is appropriate. The country is also called the "Iron Province" after the Erzberg which at one time was Europe's greatest producer of iron ore.
Styria has not always been loyal to the crown. When many of the aristocracy in the 16th century became Protestant, the Emperor Ferdinand II with a notorious edict, forced them to leave the country thus decisively influencing the Reformation in Germany. The Styrians still honour their Archduke Johann as a popular hero. Against the wishes of his brother, the Emperor, he married the daughter of the postmaster in Aussee and made her as Countess Meran and after 1848 as Imperial Regent, the first lady of the land.
The Benedictine monastery of Admont has one of the biggest and most splendid libraries in any monastery. In Graz, the capital, there is much to remind one of the time when the Yugoslavian towns of Marburg, Laibach and Agram still belonged to Styria.

La Styrie
Coeur vert et marche de fer

Peter Rosegger, poète styrien, appela son pays natal: «Waldheimat» (patrie boisée). Le Styrien, d'une façon générale, aime porter un costume vert, introduit par l'empereur François-Joseph à la cour comme le costume national styrien.
L'autre nom du pays, «Eiserne Mark» (marche de fer), provient de l'Erzberg (montagne métallifère), pendant un certain temps le fournisseur le plus important en minerai de fer de toute l'Europe. Ernst «en fer» de la ligne styrienne des Habsbourg était l'ancêtre de Frédéric III et de Maximilien Ier qui devaient fonder la position mondiale de l'Autriche. Au 13e siècle, la Styrie conspira contre Albrecht, fils du premier empereur des Habsbourg. Ferdinand II prononça à Graz, capitale régionale, le fameux décret qui obligeait la noblesse styrienne protestante à émigrer. L'archiduc Jean devint, en épousant la fille d'un maître de poste, un héros national.
Au coeur de la Styrie est située l'abbaye des Bénédictins, Admont, qui possède une des plus magnifiques bibliothèques monastiques du monde entier.

Stiftsbibliothek Admont

Monastery library at Admont · Bibliothèque de l'abbaye d'Admont

Graz – Stadtplatz

Main square in Graz · Graz – grande place

Salzburg
Schöne Stadt, schönes Land

Salzburg, das heißt vorerst immer die „schöne Stadt". Mit einem Blick, so meint man, ist vom Mirabellgarten her besehen, zu fassen, was an dieser Silhouette „schön" heißen muß: ein sonst kaum erschautes Ineinander von Natur und Stadt, das feierlich-barocke Ritual von Türmen und Kuppeln zu Füßen einer so mächtigen Burg. Betritt der Besucher jedoch, etwa von der „Staatsbrücke" her, dieses Salzburg, erscheint ihm Schönheit hier eher im etwas wie südlichen Anblick, im gotischen Gewinkel von Straßen und Plätzen der Altstadt zu liegen. Blicke vom Mönchsberg, der Festung auf Salzburg enthüllen ihm dann: die heitere mittelalterliche Enge, einem so gewaltigen, ja bisweilen auch gewalttätigen Renaissance-Barock benachbart, das ist es, was inmitten der Hochgebirgsszenerie der Stadt für immer das Signum „schön" einbrachte. Eine nordsüdliche Liaison verlieh der Stadt des heiligen Rupertus von früh an geistige Bedeutung. Nordsüdlichem Melos entsprang auch Mozarts Musik, die Salzburg Weltrang verlieh, und aus nichts anderem als aus diesem Zusammenspiel von Nord und Süd lebt sie noch heute, die schöne Stadt, die Festspiel- und Jedermann-Stadt.
Salzburg, das heißt auch Land. Historisches Land der Erzbischöfe. Sie regierten es unbekümmerter als der Kaiser seine Erblande, und noch heute tragen sie Purpur, bewahren päpstliche Insignien und führen den Titel eines Primas Germaniae. Dieses Salzburg ist Land im Gebirge, seit 1816 endgültig österreichisch, seit 1850 Kronland, seit 1918 Bundesland. Seine politische Gliederung erleichtert die Übersicht: mit dem Flachgau grenzt es an das Salzkammergut, mit dem Tennengau an den Rupertiwinkel, der an Bayern fiel, als Salzburg zu Österreich kam. Pongau und Lungau liegen diesseits und jenseits der Niederen Tauern, der Pinzgau im Schatten der Hohen Tauern. Unter den Hauptgipfeln der Glocknergruppe entstanden nach zwölfjähriger Bauzeit die Stauseen des Kapruner Tales mit bis zu 800 Millionen kWh-Energie-Leistung. Aus diesem Kapruner Tal befördert auch Sommer wie Winter, durch Stollen, der Welt längste Standseilbahn, Schifahrer in wenigen Minuten auf die Firnfelder des 3029 Meter hohen Kitzsteinhorns.

Salzburg
A beautiful city in a beautiful setting

Salzburg has always been admired as a very beautiful city. Seen from the Mirabell Garden, the cluster of roofs, towers and steeples crowned by the fortress makes a perfect picture. From above on the Mönchsberg, the view of the medieval narrow streets and contrasting great Renaissance and Baroque buildings set in their frame of mountain scenery, is unique. Since the time of St. Rupert, the founder, the city has been ecclesiastically important and its connections with Mozart have made it world famous – the city of the Festivals.
The province of Salzburg was ruled for centuries by a Prince Archbishop who still bears the title of Primas Germaniae. It became part of Austria in 1816 and a province of the Republic in 1918.
It took twelve years to build the upper and lower dams of the Kapruner Valley at the foot of the Glockner Range, which feed the power stations below. Here, too, is the world's longest tunneled funicular railway bringing skiers in winter and in summer in a few minutes to the glaciers of the Kitzsteinhorn, 10,000 feet high.

Salzbourg
Belle ville, beau pays

En partant du «Mirabellgarten» on pense pouvoir apprécier d'un seul regard toute la beauté de la ville: Cette harmonie entre la nature et les œuvres de l'homme, offertes par les tours et les coupoles au pied de la forteresse dominante. Mais approchez donc Salzbourg du côté de la «Staatsbrücke» (pont principal) et découvrez le charme d'un Salzbourg gothique et méridional. Mais, du haut du Mönchsberg, Salzbourg prend un autre visage: celui de l'étroitesse moyennageuse côte à côte avec d'impréssionantes construction de la Renaissance et du Baroque. C'est dans ce climat culturel d'un humanisme particulier que Mozart a créé sa musique.
Le pays de Salzbourg se compose de différents «Gaue» (contrées): le Pongau et le Lungau des deux côtés des Bas-Tauern, le Pinzgau à l'abri des Hauts-Tauern. Sous les plus hautes cimes du massif du Großglockner on construisit en 12 ans les barrages de Kaprun, produisant jusqu'à 800 millions de kWh. C'est ici, sur les glaciers du Kitzsteinhorn à une altitude de 3029 m, qu'on peut faire du ski même en été.

Salzburg, Mirabellgarten und Veste Hohensalzburg

Salzburg, Mirabell Garden and view of the castle · Salzbourg, Jardin Mirabell et vue sur la forteresse

Kaprun, oberer und unterer Stausee

Kaprun, lower and upper dams · Kaprun, barrage inférieur et supérieur

Gletscherbahn auf das Kitzsteinhorn

Cable-railway on the Kitzsteinhorn · Funiculaire du glacier du Kitzsteinhorn

Kärnten
Das Sommerland

Historisch gesehen, ist es Österreichs ehrwürdigstes, ältestes Land. Wien war noch geringe Kirchensiedlung, ein kleiner Marktort, als Kärnten – 976 nach Christus – bereits als karantanische Mark und sechstes Stammesherzogtum des römisch-deutschen Reiches rangierte. Von hier, an einer Nahtstelle Europas, gebot der Reichsherzog auch über die Marken an Sann und Drau, mit Marburg, Pettau, Cilli, den jetzt jugoslawisch gewordenen Städten, über das heutige Osttirol, Teile der Steiermark und Niederösterreichs. An diesen karantanischen Machtbereich waren später außer Krain auch Istrien, Friaul und Verona angeschlossen.
Geographisch gesehen, ist Kärnten das fünftgrößte und klimatisch mildeste Bundesland. Ein rechtes Sommerland mit Sonnen-Überstunden, 200 Seen, 60 qkm stehendem Gewässer, in einem von allen Seiten her wind- und wettergeschützten Becken gelegen, eingebettet zwischen Hohen und Norischen Tauern, den Karnischen Alpen und den Karawanken. Doch hat diese Südmark mit den wärmsten Gebirgsseen auch Anteil am Gipfel des höchsten, mit seinen 40 Gletschern einem der kältesten Berge Österreichs, am Großglockner. Von Heiligenblut in 1288 Metern Seehöhe – die Pfarrkirche des Ortes mit gotischem Schnitzaltar und legendärer Heilig-Blut-Kapsel gehört zu den Sehenswürdigkeiten des Landes – führt die Hochalpenstraße über das Hochtor in 2575 Metern Höhe ins Salzburgische, vorbei am längsten der Glocknergletscher, der 10 km langen Pasterze.
Zu den großen historischen Stätten des alten Reichs- und Grenzlandes gehört neben den Ausgrabungen am keltisch-römischen Magdalensberg, dem Fürstenstuhl am Zollfeld bei Klagenfurt, auch die Khevenhüllerburg Hochosterwitz. Im Burgenkranz um die alte Herzogstadt St. Veit ragt ein 160 Meter über die Ebene aufragender Montsalwatsch mit 14 Sperrtoren. Im Raum von Villach, der zweitgrößten Stadt des Landes, liegt der Faaker See, im Bild mit einem der zweitausend Bildstöcke wiedergegeben, wie sie für Kärnten charakteristisch sind.
Als nach dem Ersten Weltkrieg slowenische Einheiten den Süden des Landes, auch Klagenfurt besetzten, erkämpften Kärntner und Windische durch ihren Abstimmungssieg am 10. Oktober 1920 Kärntens Einheit und Zugehörigkeit zu Österreich.

Carinthia
A summer country

This is historically Austria's oldest province. When Vienna was still an unimportant little place, Carinthia in 976 A.D., already ranked as one of the hereditary duchies of the Holy Roman Empire. From here, the duke ruled territories now included in Yugoslavia, the East Tirol, part of Styria and Lower Austria and later lands stretching as far south as Verona.
Carinthia is also the province with the mildest climate, a real holiday place with plenty of sun and 200 lakes protected from wind and bad weather by mountains on all sides. To the north is Austria's highest mountain, the Gross Glockner with its forty glaciers, and in the valley below at Heiligenblut in the famous church, the legendary capsule with the Holy Blood is preserved. The Gross Glockner Alpine Highway leads over the Hochtor at nearly 8,000 feet into the province of Salzburg past the Pasterze glacier.
There are Celtic-Roman remains at Magdalensberg and some famous castles such as Hochosterwitz and Montsalwatsch. Near Villach lies the Faaker Lake, seen here in the photograph with one of the many shrines so characteristic of Carinthia.

La Carinthie
Le pays de l'été

La Carinthie, sixième duché héréditaire de l'Empire romano-germanique, est la plus vieille province de l'Autriche. Elle a le climat le plus doux, ses lacs chauds étant abrités par des chaînes de montagnes, dont une partie du Großglockner, la plus haute montagne d'Autriche. A son pied se trouve Heiligenblut, fameuse pour son autel gothique sculpté en bois.
Les fouilles très intéressantes du Magdalensberg (mont St. Madeleine) nous rappellent le temps des Celtes et des Romains; d'autres monuments célèbres sont le siège du prince (Fürstenstuhl) près de Klagenfurt, et Hochosterwitz, château fort des Khevenhüller, situé sur une colline et dominant de 160 m la plaine près de St. Veit. Non loin de Villach, deuxième ville de la province, se trouve le Faakersee, que la photo montre avec un «Marterl» (petite croix ou image sainte placée au bord d'un sentier invitant le passant à prier), caractéristique pour la région.
Après l'occupation de la partie méridionale du pays et même de Klagenfurt, après la Première guerre mondiale, les Carinthiens réussirent à conserver l'unité de leur pays et à confirmer leur appartenance à l'Autriche par un référendum en 1920.

Heiligenblut mit Großglockner

Heiligenblut with the Großglockner · Heiligenblut et le Großglockner

Hochosterwitz

Hochosterwitz · Hochosterwitz

Bildstock am Faakersee mit Mittagskogel

The Faaker Lake with the Mittagskogel · Le Faakersee et le Mittagskogel

Tirol
Tirol an Inn und Isel

Deutsche Kaiser, auf ihren Zügen nach Süden über den Brenner und durch die Salurner Klause unterwegs, wähnten das für sie strategisch so wichtige Straßen- und Paßland zwischen Germanien und Italien am sichersten in geistlicher Hand. Sie übergaben es den Bischöfen von Trient und Brixen. Deren Lehensleute, die Grafen von Schloß Tirol bei Meran, verstanden es, das Land im 13. Jahrhundert gegen Rivalen und zu Lasten der beiden Bistümer bis zum Inn zu einigen. Dieses „Tyroll" mit seiner Residenzstadt „Inspruck" machte Maximilian I. zum Mittelpunkt seines Reiches, arrondierte es auch, im Norden bis Kitzbühel und Kufstein, im Süden bis Ampezzo und Riva am Gardasee.
Deutsche Urlauber, auf ihren Reisen nach Süden über den Brenner und durch die Salurner Klause unterwegs, wähnen das für eine zügige Fahrt in den adriatischen Sommer bisher oft nur hinderliche Paßland erst seit der Eröffnung der Inntal- und Brenner-Autobahn mit Europabrücke (820 Meter lang, 190 Meter über dem Silltal) im rechten Zustand. Fälschlich identifizieren sie meist das Tirol um Kufstein und Innsbruck mit Österreich, das Tirol um Bozen und Meran mit Italien. Tirol diesseits und jenseits des Brenners „bis zur Salurner Klaus" repräsentiert jedoch vielmehr noch heute ausschließlich seine über sechshundertjährige Einheit als gefürstete Grafschaft der Habsburger. Erst im Jahre 1919, als Italien, Siegermacht des Ersten Weltkrieges, sich mit einem Drittel des deutschsprachigen Tirol belohnte, ist diese Einheit zerstört worden. Seither sieht sich die Republik Österreich im Restbesitz zweier durch Italiens Grenze voneinander völlig getrennter Teile Tirols, Nordtirol mit der alten Hauptstadt, Osttirol, mit Lienz am Zusammenfluß von Isel und Drau.
Der Autotourist aus Norden erreicht das Paßland Tirol meist über Kufstein oder Kössen am Wilden Kaiser, dem berühmten Klettergebirge des Landes. Am Karwendel vorbei erreicht er es über den Achen- oder den Scharnitzpaß, fährt hier Tirols größtem See entlang, dem Achensee, und quert Seefeld, dem nach Kitzbühel schönsten und größten Wintersportort.
Wer Tirol über Lienz verläßt, erblickt auf dem der Stadt benachbarten Kirchenhügel von Lavant Grundgemäuer und Säulen einer Fluchtburg und frühchristlichen Bischofskirche.

Tirol
On the Rivers Inn and Isel

The German Emperors on their journeys south over the Brenner Pass, thought it expedient to put this strategically important region between Germany and Italy into the safe hands of the Church. The bishops of Brixen and Trient gave these lands as a fief to the Counts of Castle Tirol near Meran who succeeded in the 13th century in uniting the whole district as far as the River Inn. Maximilian I from his residence in Innsbruck made the Tirol the centre of his empire, enlarging it as far as Kitzbuhel and Kufstein in the north and Ampezzo and Riva on Lake Garda in the south.
The Europa Bridge 600 feet high, over the Sill Valley is part of a newly opened motorway over the Brenner Pass which greatly shortens the journey south for motorists. Those entering the Tirol from the north can go through Kössen near the Wilder Kaiser, famous climbing mountains, he can pass the Karwendel and Lake Aachen or go over Seefeld, a big winter sports centre. Leaving the Tirol south by Lienz he can visit the nearby ruins of a fortress and Early Christian church at Lavant.

Le Tyrol
Le Tyrol sur l'Inn et l'Isarco

Lorsque les empereurs germaniques traversèrent les Alpes par le col du Brenner et le défilé de Salurne pour gagner l'Italie, ils mirent ce pays aux routes et aux cols importants du point de vue stratégique entre les mains de l'évêque de Trento (Trient) et celui de Brunico (Brixen), à leur avis la solution la plus sûre. Les feudataires de ces deux évêques, les comtes du Tyrol, réussirent au 13e siècle à unir le pays en dépit de leurs rivaux et des deux évêques. Maximilien Ier fit de ce «Tyroll» avec «Inspruck» comme capitale et résidence le centre de son pouvoir et l'agrandit, au nord jusqu'à Kitzbühel et Kufstein, au sud jusqu'à Ampezzo et Riva sur le Lac de Garde. L'automobiliste venant du nord gagne ce pays montagneux le plus souvent à partir de Kufstein ou de Kössen au Wilder Kaiser. L'autoroute dans la vallée de l'Inn et l'autoroute du Brenner avec l'«Europabrücke» (pont de l'Europe) facilitent de becaucoup ce trajet. Les montagnes du Karvendel une fois laissées derrière lui, il passe par le col d'Achen et le lac d'Achen et traverse Seefeld, station d'hiver très réputée.

Brennerautobahn – Europabrücke

Brenner Motorway–Europe Bridge · Autoroute du Brenner – Pont de l'Europe

Achensee mit Karwendel

Lake Achen with the Karwendel · L'Achensee et les montagnes du Karwendel

Hinterbärenbad im Wilden Kaiser

Hinterbärenbad in the Wilder Kaiser · Hinterbärenbad dans le massif du Wilder Kaiser

Frühlingstag bei Seefeld mit Karwendelgebirge

Spring morning near Seefeld · Jour de printemps près de Seefeld

Lavant mit Ausgrabungen

Excavations at Lavant · Les fouilles près de Lavant

Vorarlberg
Paradies vor dem Arlberg

Als das große Wasser zu sinken begann, berichtet eine Vorarlberger Sage, stieß die Arche Noahs nicht, wie die Bibel zu berichten weiß, auf den Berg Ararat im fernen Armenien, sondern an den Gipfel des Widdersteins, den unser Bild wiedergibt. Nicht nur Balken, Holztrümmer, die man einst hier fand, hätten das überzeugend bewiesen, auch der Umstand, daß sich in nächster Nähe dieses auffallend schönen Berges über dem Hinteren Bregenzerwald einst das Paradies befunden hatte, macht das Geschehen erklärlich. Was Wunder, daß nach Noahs Landung, vom Ort dieses einstigen Paradieses aus – es lag halbwegs zwischen Feldkirch und Götzis – auch die neue Menschheit begründet wurde. Von den Nachkommen des Noe, berichtet eine andere Sage, von den Stämmen Japhets, die von Rankweil her, der Feldkirch benachbarten Stadt, „nicht nur ganz Deutschland, sondern ganz Europa besetzten. Und es machte sich einer zum Grafen und wurde genannt Graf von Montfort; er baute auch ein Schloß auf den Berg und nannte ihn Schönberg ...“
Die Sage aus undenklichen Zeiten führt mitten in die zeitliche Geschichte Vorarlbergs. Sie vermeldet, daß sich ein Graf von Tübingen nach einer Burg im churrätischen Oberland „Graf von Montfort“ nannte und Begründer eines berühmten Geschlechtes wurde, Gründer auch der Städte Bregenz und Feldkirch. Nach dem Tode seines kinderlosen Nachkommen Hugo fielen im 14. Jahrhundert Land und Besitz der Montfort-Werdenberger an Habsburg, bald auch die Ländereien kleiner Adeliger im Lande. Das Haus Habsburg ließ diese Neuerwerbungen mit Besitzungen in Oberschwaben, im Breisgau, als österreichische „Vorlande“ verwalten. Mit Tirol und diesen schwäbischen Landesteilen zusammen wurde Vorarlberg als zu „Vorderösterreich“ gezählt, im Unterschied zu dem südlichen „Innerösterreich“ und den Kernländern ob und unter der Enns.
Die Montfortsche Dienstmannenburg Rankweil verwandelte sich im 14. Jahrhundert in die Wallfahrtskirche St. Fridolin. Bering und Bergfried der Burg erhielten sich. Vom oberen Wehrgang aus bietet sich ein schöner Blick ins Rheintal weit ins „Ländle“ hinein. Vorarlbergs Textilerzeugnisse sind heute Weltmarke. Alemannischer Gastfreundschaft erfreut sich der Gast besonders im Bregenzer Wald, im Montafon, im Klostertal und in den Walsertälern.

Vorarlberg
Paradise beyond the Arlberg

When the Great Flood began to sink, says an old Vorarlberger legend, Noah's Ark did not land on Mount Ararat as recounted in the Bible, but on the top of the Widderstein, seen here in the picture. Not only were beams and other pieces of wood later found here but the Garden of Paradise was also said to lie near this beautiful mountain, so the story becomes even more plausible. We are further told that one of Noah's descendants from the tribe of Japhet became the Count of Montfort and built a castle in the neighbourhood.
This family is known in history to have been very powerful. They founded the towns of Bregenz and Feldkirch and possessed lands which later came under the Habsburgs. This part of the country together with Tirol and some Suabian territory came to be known as the "Vorland" of Austria.
In the 14th century the Montfort castle of Rankweil was transformed into the pilgrimage church of St. Fridolin, but the fortifications have been preserved and there is a beautiful view from the ramparts over the Rhine Valley.

Le Vorarlberg
Paradis au pied de l'Arlberg

«Après le déluge» nous raconte une légende du Vorarlberg, «l'arche de Noé accosta non sur l'Ararat mais au sommet du Widderstein». Une autre légende nous apprend que des descendants de Noé, des fils de Japhet, occupèrent à partir de Rankweil (située près de Feldkirch) «non seulement toute l'Allemagne, mais l'Europe entière. Et l'un d'eux s'attribua le titre de comte et fut appelé le comte de Montfort. Par la suite, il bâtit un château et l'appela Schönberg».
Les comtes de Montfort venaient, d'après des documents historiques, de Tübingen et furent les fondateurs de Bregenz et de Feldkirch. Après l'extinction de la famille au 14e siècle, les Habsbourg prirent possession des terres des Montfort-Werdenberg et bientôt celles d'autres nobles moins importants de la région. Après la guerre d'Appenzell, le Vorarlberg fut administré avec les possessions des Habsbourg de la Haute-Souabe et du Breisgau.
Rankweil, château fort des comtes de Montfort, devint au 14e siècle une église de pèlerinage, qui offre une belle vue d'ensemble sur la vallée du Rhîn.

Winterpanorama mit Widderstein und Roggspitze

Winterpanorama with the Widderstein and the Roggspitze · Panorama avec le Widderstein et Roggspitze en hiver

Sankt Fridolin in Rankweil

St. Fridolin in Rankweil · St. Fridolin à Rankweil